→JUEGOS← TRADICIONALES

María Angélica Ovalle
Ilustraciones de Paloma Valdivia

editorial amanuta

→JUEGOS←
TRADICIONALES
Colección Remolino

© del texto: María Angélica Ovalle, 2011
© de las ilustraciones: Paloma Valdivia, 2011
© de esta edición: Editorial Amanuta Limitada, 2018
Santiago, Chile
www.amanuta.cl

Edición: Ana María Pavez y Constanza Recart
Diseño: Magaly Salvo
Supervisión de diseño: Philippe Petitpas

Quinta edición: dicimebre 2018
N° registro: 202.285
ISBN: 978-956-9330-24-7
Impreso en China

Editorial Amanuta

Ovalle, María Angélica
Juegos Tradicionales / María Angélica Ovalle;
Ilustraciones de Paloma Valdivia.
5° ed. – Santiago: Amanuta, 2018
[48p.] :il. col.:20 x 24,5 cms. (colección Remolino)
ISBN: 978-956-9330-24-7
1. JUEGOS - ENSEÑANZA PREESCOLAR - ENSEÑANZA BÁSICA
2. ACTIVIDAD CREADORA - ENSEÑANZA PREESCOLAR - ENSEÑANZA BÁSICA
Valdivia, Paloma, il.

→JUEGOS←
TRADICIONALES

María Angélica Ovalle
Ilustraciones de Paloma Valdivia

editorial amanuta
COLECCIÓN REMOLINO

→INTRO DUCCIÓN←

Todos los días, en cada rincón de Chile, los niños juegan diferentes juegos. Entre ellos, juegos como *la ronda de San Miguel*, *la huaraca*, *el luche* y *el monito mayor* son jugados no solo por las nuevas generaciones, sino también han sido practicados por sus padres, abuelos e incluso bisabuelos. Estos juegos tradicionales, y muchos más, son los que hemos querido dar a conocer en este libro, de manera que, recordándolos, podamos cuidarlos y transmitirlos a nuevas generaciones.

Para realizar este libro hemos encuestado a muchas personas, hombres y mujeres, de diferentes edades y que vivieron su infancia en distintas localidades de Chile, para así seleccionar a conciencia aquellos juegos que creemos que han sido significativos para muchas generaciones y que por ello, si se los recuerda y promueve, pueden seguir dando mucho que hablar entre los niños de hoy. Asimismo, hemos escogido juegos de distintas variedades –con y sin rimas, de manos, de cuerda y para echar a suertes– de manera de poder llegar a niños de diferentes edades y con diferentes intereses.

Cada día nos vemos más invadidos por los medios de comunicación. La televisión e internet muchas veces nos alejan de nuestra cultura y, de alguna manera, esto ha provocado que muchos juegos tradicionales hayan ido quedando en el más triste olvido. Necesitamos entonces que los niños, ya en su infancia, conozcan aquello que nos identifica. ¡Qué mejor que comenzar esta tarea a través de los mismos juegos!

→CARACTERÍSTICAS
DE LOS JUEGOS TRADICIONALES←

Los juegos que se presentan en este libro fueron seleccionados con los siguientes criterios:

1. Son, en primer lugar, JUEGOS, es decir, ejercicios recreativos sometidos a reglas en los que comúnmente se gana o se pierde.

2. Cumplen la tarea de ENTRETENER a los niños.

3. Pertenecen a la TRADICIÓN: su origen se encuentra en generaciones pasadas y se han transmitido de niño a niño, de generación en generación. Son juegos perdurables en el tiempo.

4. Son FAMILIARES, lo que quiere decir que pueden ser practicados por distintos miembros de la familia.

5. Son MANIFESTACIONES FOLCLÓRICAS y, por lo tanto, se caracterizan por: ser anónimos, ser transmitidos por vía oral o por imitación de procesos no verbalizados, ser perdurables, ser aglutinantes de la comunidad y, finalmente, ser representativos de una región o lugar.

6. No necesitan un EQUIPAMIENTO manufacturado complejo. Pueden ser jugados con objetos que sean fácilmente recolectados o realizados por los niños. También pueden ser jugados con productos manufacturados, pero siempre de uso común o de fácil acceso, como una pelota, un pañuelo, bolitas, cuerdas, etc.

7. Son COMPETITIVOS Y COOPERATIVOS, aunque generalmente predomina uno de los dos aspectos. Algunos juegos no buscan un ganador, otros son abandonados antes de que alguien gane y en general es más común que se castigue (mediante prendas) al perdedor antes que premiar al ganador.

8. Son organizados generalmente por los PROPIOS NIÑOS y para su propio placer. Ellos son los expertos que deciden dónde, cuándo y cómo jugar.

9. Las REGLAS de los juegos tradicionales no están escritas, pero son fáciles de recordar.

ÍNDICE

LOS PRIMEROS JUEGOS 8

JUEGOS CON CANCIONES Y RIMAS 11

JUEGOS CON LA CUERDA Y DE MANOS 31

JUEGOS PARA ECHAR A SUERTES 36

JUEGOS SIN RIMAS 38

⟨ ASERRÍN, ASERRÁN ⟩

Este juego es jugado por niños muy pequeños, con ayuda de sus padres o de algún adulto. El niño se sienta sobre las rodillas del adulto, mirándolo de frente. El adulto sostiene al niño con las dos manos y lo balancea hacia atrás y hacia adelante mientras canta:

Aserrín, aserrán,
los maderos de San Juan,
piden pan, no les dan,
piden queso les dan hueso,
piden vino, sí les dan,
se marean y se van.
Al finalizar se le hace cosquillas al niño.

¿SABÍAS QUE...?

La noche anterior al 24 de junio se celebra en España, en Chile y en muchos otros países, la noche de San Juan. En ella, cada año, los padres cantan el famoso "aserrín, aserrán" a sus hijos, porque en la canción justamente se habla del santo festejado.

EL BURRITO SAN VICENTE

El burrito San Vicente es un juego que se usa para hacer una broma simpática. Se trata de colocar un objeto liviano sobre la cabeza de algún compañero, pero sin que éste lo note. Luego se canta:

El burrito San Vicente,
lleva carga y no la siente.
El burrito San Vicente,
lleva carga y no la siente.

¿SABÍAS QUE...?

Este juego ha sido jugado por muchas generaciones por lo que viejos y niños, hombres y mujeres, lo conocen y recuerdan sus primeros años de infancia con él.

PIMPIRIGALLO

Un niño extiende la mano y sobre ella los demás niños van pellizcándose suavemente el dorso de manera que se forma una torre de manos, donde cada cual sujeta la mano que está inmediatamente bajo la suya. Entonces se canta:

Pimpirigallo
monta a caballo,
con las espuelas
de tu tocayo.

Cuando se termina la canción, el niño que se suelta de la torre pierde. Se puede jugar hasta que quede un solo niño, que será el ganador.

¿SABÍAS QUE...?

El "pimpirigallo" es conocido en varios lugares de España y también en los distintos países de América Latina. Según el lugar donde se juegue su nombre puede variar: algunos lo conocen como "pizpirigaña", "pizilingaña", "pinpitigallo" o "pipirigaña".

ARROZ CON LECHE

Los niños forman una ronda y cantan:

Arroz con leche,
me quiero casar,
con una señorita de Portugal.
Con ésta, sí,
con ésta, no,
con esta señorita
me caso yo.

Variación:
Arroz con leche,
me quiero casar,
con una señorita
de Portugal.
Que sepa coser,
que sepa bordar,
que sepa las tablas
de multiplicar.
Con ésta, sí, con ésta, no,
con esta señorita me caso yo.

Cuando los niños dicen "me caso yo"
abrazan al compañero que esté a su lado.

¿SABÍAS QUE...?

En algunos países de América, como Venezuela y Cuba, los niños cantan "arroz con coco" en vez de "arroz con leche". ¡Imagínate lo importante que es ese fruto tropical en esos países!

CORRE EL ANILLO

Los niños se sientan en círculo con las palmas juntas. El niño que dirige tiene en sus manos un anillo, que va pasando por las manos de sus demás compañeros. Sin que nadie se dé cuenta, de repente deja el anillo entre las manos de alguno de los niños. Todo esto sucede mientras se recita:

Corre el anillo,
por un portillo,
pasó un chiquillo,
comiendo huesillos,
a todos les dio,
menos a mí.
Eche prenda
señorita o caballero,
quién lo tiene, un, dos, tres.

El niño que es tocado cuando se dice "tres" debe responder quién tiene el anillo. Si adivina, podrá dirigir el nuevo juego. Si se equivoca, deberá entregar una prenda que solo podrá recuperar cuando realice alguna prueba especial.

¿SABÍAS QUE...?

Existe un juego muy parecido al "corre el anillo" llamado "chiribotón". Como es lógico, este juego no se juega con un anillo, sino con un simple botón, al tiempo que se canta: chiribotón, pare el botón. ¿Quién lo tiene?

EL PUENTE DE AVIÑÓN

Los niños forman un círculo. Un niño se coloca en el centro y va indicando los oficios al son de la siguiente canción:

Sobre el puente de Aviñón,
todos bailan, todos bailan,
sobre el puente de Aviñón,
todos bailan y yo también.
Hacen así, así las lavanderas,
hacen así, así me gusta a mí.

PUENTE
du AVIGNON

Ejemplos de oficios:
Planchadoras
Zapateros
Costureras
Peluqueras
Cocineros
Jardineros
Barrenderos
Carpinteros

¿SABÍAS QUE...?

El puente de Aviñón existe de verdad. Éste es un puente que se construyó en la Edad Media sobre el río Ródano, que se ubica en una ciudad del sur de Francia, llamada en francés, Avignon. Se cree que la canción es del año 1500 aproximadamente.

EL TREN DEL ALMENDRAL

Los niños se sientan en círculo, cada uno sosteniendo un objeto pequeño en la mano. Cuando comienza la canción, cada uno pasa el objeto al niño que está a su derecha, luego recoge el objeto que le fue entregado por su compañero de la izquierda y vuelve a pasarlo a la derecha. Cuando llega el momento de cantar "con su chiqui chiqui chá" los niños deben hacer como que entregan el objeto pero, sin soltarlo, lo vuelven a su lugar y en el "chá" lo entregan definitivamente. La canción dice así:

Por el riel de acero,
va corriendo el tren del almendral,
va corriendo, va corriendo,
con su chiqui chiqui chá,
con su chiqui chiqui chá.

¿SABÍAS QUE...?

No es casualidad que la canción para jugar a este juego hable de un tren. La idea es justamente comenzar cantando bien lento, imitando un tren que recién está saliendo de la estación, para luego ir aumentando la velocidad del canto y del juego, tal como lo hace un tren en su recorrido. Por eso los niños deben tener mucha destreza para no confundirse ni equivocarse cuando aumenta la dificultad.

EL VENDEDOR DE HUEVOS

Uno de los jugadores hace de vendedor y los demás actúan de compradores. El vendedor se queda al centro y los compradores se ubican cada uno en una esquina.

El vendedor ofrece a un comprador:

−¿Compra huevos?

El comprador responde:

−En la otra esquina.

Mientras el vendedor va a ofrecer huevos a la otra esquina, los niños se cambian de lugar unos con otros. El vendedor debe buscar la oportunidad de colocarse en una esquina vacía y, si lo logra, el niño que quede sin esquina será el vendedor en el próximo juego.

¿SABÍAS QUE...?

Este juego, también conocido como "¿compra huevos?", se juega en muchos lugares del mundo, como Alemania, Irlanda, Francia e Inglaterra, y puede jugarse de diferentes formas. Por ejemplo, en Alemania no se juega con esquinas, sino con árboles que sirven de guaridas.

HA LLEGADO CARTA

Un niño es el cartero y dirige el juego, dando diferentes instrucciones. Los demás niños van avanzando según lo que dice el cartero.

–Ha llegado carta.
–¿Para quién?
–Para Juan (nombre del niño).
–¿Y qué dice?
–Que dé cinco pasos de hormiga.

El niño que fue nombrado avanza dando cinco pasos de hormiga (pasos muy chicos, poniendo un pie delante del otro). Luego el juego continúa mientras el cartero va nombrando a los demás niños, pidiéndoles que avancen de distintas maneras. El primer niño que llegue a la meta dice "llegué" y podrá dirigir el siguiente juego.

Tipos de pasos:
De saltamontes: saltando lo más lejos posible.
De gigante: pasos muy grandes.
De orangután: pasos con los brazos apoyados en el suelo o balanceándolos.
De tortuga: pasos lentos y cortos.
De bailarina: pasos dando vueltas con las manos sobre la cabeza.
De canguro: saltando con los pies juntos.
De cangrejo: hacia atrás. Se usan para hacer retroceder.

¡HA LLEGADO CARTA!

PARA JUAN

¿SABÍAS QUE...?
Las personas, para comunicarse unas con otras, usan cada vez menos el sistema de mandarse cartas. ¿Qué crees que pasará en el futuro con este juego?

LA GALLINITA CIEGA

A un niño se le venda la vista con un pañuelo. Éste se encuclilla y hace como que busca algo en el suelo, mientras el niño que dirige el juego pregunta:

–Gallinita ciega, ¿qué buscas?
El vendado contesta:
–Una agujita y un dedal.
El diálogo sigue:
–¿Dónde se te perdió?
–En el arenal.
–Yo te la tengo y no te la quiero dar.

El niño que hace de gallinita ciega se levanta y trata de coger a tientas a alguno de sus compañeros, que se acercan y se alejan de él. Quien es tocado por la gallinita ciega será la gallina del próximo juego.

¿SABÍAS QUE...?

Este juego era jugado en la antigüedad no solo por los niños, sino también por los adultos. Por eso el famoso pintor Francisco Goya creó en 1789 una obra de arte llamada La gallina ciega, que muestra a un grupo de hombres y mujeres jugando a este entretenido juego.

LA HUARACA

Los niños se sientan en círculo. Un niño dirige el juego y va corriendo por detrás de la ronda con un pañuelo en la mano. Cuando alguien se atreve a mirar para atrás, el niño que va corriendo le pega suavemente en la cabeza. Se canta:

Corre corre la huaraca,
al que mira para atrás,
se le pega en la pelá.

¿SABÍAS QUE...?
La palabra huaraca viene del idioma quechua, waraca, y significa honda.

Mientras todos siguen cantando, el niño de repente deja el pañuelo en el suelo detrás de algún compañero. Cuando el niño que recibe el pañuelo se da cuenta, se para, toma el pañuelo, y sale persiguiendo al otro lo más rápido que puede. Si no logra pillarlo, y el niño que dirigía alcanza a sentarse en el lugar que quedó vacío, continuará el juego con un nuevo guía. Si lo pilla, el niño que dirigía el juego pierde y debe pasar al centro de la ronda para ser huevo podrido. Solo podrá volver a participar cuando otro niño ocupe su lugar en el centro.

CORRE
CORRE
LA HUARACA

LOBO, ¿ESTÁS?

Un niño actúa de lobo y los demás van girando y cantando en una ronda. Cuando preguntan "lobo, ¿estás?", el lobo responde que se está vistiendo con alguna prenda. En el momento en que el lobo está completamente vestido, comienza a perseguir a los otros niños. Se canta:

Juguemos en el bosque, mientras que el lobo no está.
Juguemos en el bosque, mientras que el lobo no está,
lobo, ¿estás?
El lobo contesta:
Me estoy poniendo los calzoncillos.
(Gritos)
Juguemos en el bosque, mientras que el lobo no está.
Juguemos en el bosque, mientras que el lobo no está,
lobo, ¿estás?
El lobo contesta:
Me estoy poniendo los calcetines.
(Gritos)

El lobo sigue vistiéndose (camiseta, pantalones, camisa, zapatos, cinturón, chaleco, chaqueta y sombrero) hasta que está listo y contesta:

¡Sí, y salgo para comérmelos!

(Más gritos y todos arrancan del lobo).

¿SABÍAS QUE...?

El juego "lobo, ¿estás?" nació de la famosa fábula europea Caperucita Roja, que enseña a cada niño a no confiar nunca en los desconocidos, porque puede ser muy peligroso.

ME ESTOY PONIENDO LOS PANTALONES

MAMBRÚ SE FUE A LA GUERRA

Lo juegan los niños y niñas en ronda dando vueltas. Una niña se queda en el centro, actuando de reina, mientras todos cantan:

Mambrú se fue a la guerra, quizás cuando vendrá (se repite);
ja ja ja, ja ja ja, quizás cuando vendrá.
Vendrá para la Pascua, o para Trinidad (se repite);
ja ja ja, ja ja ja, o para Trinidad.
La Trinidad se pasa, Mambrú no vuelve más (se repite);
ja ja ja, ja ja ja, Mambrú no vuelve más.
Mambrú se ha muerto en guerra, lo llevan a enterrar (se repite);
ja ja ja, ja ja ja, lo llevan a enterrar.

¿SABÍAS QUE...?

"Mambrú se fue a la guerra" es una canción popular francesa y su protagonista es un destacado general inglés, John Churchill, duque de Marlborough, que nació en 1650 y murió en 1722. La canción fue compuesta por un soldado francés que estaba enojado por las victorias que había obtenido el duque de Marlborough sobre Francia. El nombre Mambrú deriva de Marlborough.

Al decir estas últimas frases, la niña que está en el centro simula un desmayo y hace como que llora. Entonces cuatro niños la toman y se la llevan, mientras todos cantan:

Con cuatro oficiales, y un cura sacristán (se repite);
ja ja ja, ja ja ja, y un cura sacristán.
Arriba de su tumba, un pajarito va (se repite);
ja ja ja, ja ja ja, un pajarito va.
Cantando el pío pío, y el pío pío pá (se repite);
ja ja ja, ja ja ja, y el pío pío pá.
Los cuatro niños salen con la reina desmayada y el resto de los niños los siguen en procesión.

MANDANDIRUN

Los niños se ubican en una fila, tomados de las manos, mirando de frente a un niño que queda solo y que va a dirigir el juego. El niño que dirige avanza hacia el resto, cantando, y luego regresa a su lugar. Luego responden los demás niños, y así sucesivamente.

El niño que dirige canta:

—Buenos días, su señoría, mandandirun dirundá.

El resto de los niños responden:

—¿Qué quería, su señoría?, mandandirun dirundá.

Y el diálogo continúa:

—Yo quería una de sus hijas, mandandirun dirundá.

—A cuál de ellas quiere usted, mandandirun dirundá.

—A mí me gusta la María, mandandirun dirundá.

—¿Y qué oficio le pondremos?, mandandirun dirundá.

—Le pondremos chupa huesos, mandandirun dirundá.

—Ese oficio no le gusta, mandandirun dirundá.

—Le pondremos botón de oro, mandandirun dirundá.

—Ese oficio sí le gusta, mandandirun dirundá.

Luego el niño que está solo toma la mano de la niña que eligió. Entonces, los demás forman un círculo y rodean a la pareja cantando dos veces:

–Celebremos la fiesta de todos, mandandirun dirundá.

¿SABÍAS QUE...?
La canción "mandandirun" nació en Francia y desde ahí pasó en el siglo diecinueve a España para llegar finalmente a Chile y a otros países americanos.

MANSEQUI

El mansequi se juega dando pasos en pareja o en forma individual. Cuando se juega en pareja, las niñas se colocan frente a frente tomadas de las manos y saltan dejando un pie adelante y el otro atrás, alternándolos. Cuando se juega en forma individual, las niñas hacen el mismo ejercicio de pies pero colocan las manos en la cintura. Se recita:

Mansequi, mansequi,
mansequi la culequi,
la gallina, la gallina,
la gallina puso un huevo,
puso un huevo, puso un huevo,
puso un huevo en la cocina.

Variación:
Mansequi, mansequi,
la gallina está culequi,
zapatito, zapatito,
zapatito de cristal.
Adelante, adelante,
adelante mi comandante,
al lado, al lado,
el viejo está pelado,
al frente, al frente,
ordene mi teniente.

¿SABÍAS QUE...?

La palabra culequi viene de clueca. A una gallina se le dice clueca cuando se encuentra empollando sus huevos. También se le dice clueca a una persona que se encuentra muy débil de salud debido a su vejez.

¡MOMIA ES!

Un niño dirige el juego y se coloca de espalda a sus compañeros. El resto de los niños se ubican en una fila, a varios pasos del jugador que dirige. El niño que dirige dice:

Un, dos, tres,...
¡momia es!

Los niños avanzan mientras se dice "un, dos, tres". Cuando el niño que dirige dice "¡momia es!" se da vuelta rápidamente y los demás niños deben quedarse completamente quietos, como momias. Si alguno se mueve y es descubierto, pierde y debe salir del juego. El primer niño que logre llegar a la meta gana y toma el lugar del jugador principal.

¡1, 2, 3 MOMIA ES!

¿SABÍAS QUE...?

Una momia es un cadáver de ser humano o de animal que ha sido embalsamado para mantenerse en buen estado por un largo tiempo después de la muerte. De esta manera, a pesar de su buen estado de conservación, ¡las momias no se mueven! Por eso en el juego "momia es" ganará el que sea más hábil para quedarse verdaderamente quieto.

NIÑA MARÍA

Las niñas juegan en una ronda. Todas cantan mientras una niña elegida recorre la ronda por dentro. Al final del canto elige a otra compañera para que la reemplace.
La canción dice así:

La niña María ha salido en el baile,
baila, que baila, que baila,
y si no lo baila,
castigo le darán,
por lo bien que lo baila,
hermosa Soledad,
salga usted,
que la quiero ver bailar.

¿SABÍAS QUE...?

Aunque "la niña María" es una ronda mucho más conocida y practicada entre las mujeres, ¡son muchos los hombres que también dicen haberla jugado de niños!

RONDA DE SAN MIGUEL

Los niños hacen una ronda y cantan:

Ésta es la ronda de San Miguel,
el que se ríe se va al cuartel,
uno, dos, tres y firmes los pies,
sentadito me quedé,
en la silla de San Miguel
y de un brinco me paré.

Variación:
Vamos jugando a la ronda de
San Miguel,
el que se ríe se va al cuartel,
uno, dos, tres.

¿SABÍAS QUE...?

San Miguel es un arcángel, es decir, un tipo de ángel que es más importante y por eso gobierna y lidera a los demás ángeles. El nombre de este arcángel, Miguel, viene del idioma hebreo, Mikael, y significa ¿quién como Dios?

VAMOS JUGANDO AL TIRABUZÓN

Los niños se ubican en parejas tomándose con los brazos cruzados y avanzan saltando mientras entonan la siguiente canción:

Vamos jugando al tirabuzón,
tira pa' allá (en este momento las parejas giran cambiando de dirección),
tira pa' acá (en este momento vuelven a girar, para comenzar nuevamente la canción).
Vamos jugando al tirabuzón,
tira pa' allá,
tira pa' acá.

¿SABÍAS QUE...?

La palabra tirabuzón viene del francés tire-bouchon, que quiere decir sacacorchos. En castellano se llama tirabuzón a un rizo de cabello largo y con forma de espiral, por su parecido con el propio sacacorchos. Por su parte, la expresión "sacar algo con tirabuzón" significa sacar algo a la fuerza, y se usa mucho cuando se obliga a decir algo a una persona callada.

(CHASCONA)

Dos niños dan vueltas al cordel y los demás entran en el juego por un costado y salen por el costado contrario al que entraron, por turnos. Durante el juego se recita lo siguiente, mientras el que salta va haciendo lo que dice la canción:

Chascona, chascona,
date una vuelta.
Chascona, chascona,
salta en un pie.
Chascona, chascona,
toca el suelo.
Chascona chascona,
sálete.

¿SABÍAS QUE...?

Existe un juego similar a "la chascona", donde en vez de chascona, chascona se dice "oye pelaíto", mientras el resto del canto se repite igual.

EL JUEGO DE LA OCA

Los niños se ubican en un gran círculo con las manos estiradas y van cantando al tiempo que golpea cada uno la mano del compañero que tiene al lado, formándose una cadena. La canción dice:

El juego de la oca ya empezó, es divertido trico, trico, trá,
es divertido, bailó, bailó, bailó, bailó, bailó,
1, 2, 3, 4, 5, 6, 7, 8, 9, 10.

El niño que es tocado cuando se canta el número 10 debe retirarse del juego.
Así continúa el juego hasta que quede un solo ganador.

Variación:
Éste es el juego de la o cua cua,
es divertido tío, tío, tá,
es divertido, bailó, bailó, bailó, bailó, bailó,
1, 2, 3, 4, 5, 6, 7, 8, 9, 10.

¿SABÍAS QUE...?

Los juegos de manos han sido desde siempre mayormente practicados por mujeres. Con ellos las niñas, incluso algunas de muy corta edad, logran adquirir una destreza manual impresionante.

¡CLAP!

ESTABA LA CATALINA

Juego de manos que se practica entre dos niñas mientras se canta:

Estaba la Catalina sentada bajo un laurel,
mirando la frescura de las aguas al caer.
De pronto pasó un soldado y lo hizo detener:
–Deténgase usted soldado que una pregunta le quiero hacer.
–¿Usted ha visto a mi marido que a la guerra fue una vez?
–Yo no he visto a su marido ni tampoco sé quién es.
–Mi marido es alto y rubio y buen mozo como usted, y en la punta de su
espada lleva escrito Juan Andrés.
–Calla calla Catalina, calla calla de una vez, que estás hablando con tu
marido que no has podido reconocer.

"Estaba la Catalina" es un tipo especial de poesía que se llama romance. Como muchos otros romances, tiene tres características: es un poema que tiene varios cientos de años, no se conoce a su autor y, por último, se transmite en forma oral de generación en generación.

CAPE- NANE- NÚ

El cape- nane- nú sirve para elegir niños. Los niños se ubican en un círculo pequeño y el que dirige va cantando e indicando en cada palabra a uno de sus compañeros. A quien le toque la última palabra será el elegido, o el descartado. Se recita lo siguiente:

Ene- tene- tú,
cape- nane- nú,
tisa- fá,
tumba- lá,
es- tis- tos- tús,
pa- ra que,
sal- gas tú.

LA MATITA

Juego que se utiliza para echar a suertes. Los niños se ubican en un pequeño círculo y ponen una de sus palmas al centro. Luego, en cada sílaba, van dando vuelta la mano hacia arriba y hacia abajo, arriba, abajo, recitando:

A la ma- ti- ta,
so- li- ta,
a la ma- ti- ta,
so- li- ta.

El niño que queda con las palmas en el sentido contrario que los demás es el elegido o el descartado.

¿SABÍAS QUE...?

Este juego ha ido aumentando su popularidad con el paso de los años. Así, los más viejos lo jugaban poco, mientras casi todos los hombres y mujeres nacidos entre 1980 y el año 2000 dicen haberlo practicado muchísimas veces.

BOLITAS

Las bolitas son utilizadas por los niños para jugar a distintos juegos, como la hachita y cuarta, la troya, los tres hoyitos, la fortaleza, la picada, tirar al montoncito y la ratonera.

La ratonera, por ejemplo, se trata de lanzar las bolitas a los agujeros de una caja que pretende ser, como lo dice el nombre del juego, una ratonera. Los agujeros, que tienen forma de arcos, pueden ser de diferentes tamaños y con diferentes puntuaciones. El niño que logra introducir más bolitas dentro de la ratonera (o tiene más puntos, en el caso de que haya diferentes puntuaciones) es el ganador.

Tirar al montoncito es otro juego, que consiste en disparar para intentar derribar un montón de cuatro bolitas que se ubica contra una pared. El dueño del montoncito puede quedarse con todas las bolitas que no dan en el blanco; quien consigue derribar el montón, por su parte, gana como premio todas las bolitas que lo formaban.

¿SABÍAS QUE...?
Las bolitas tienen distintos nombres según sus características: chilindrina es una bolita muy pequeña, polca se llama a la bolita de vidrio, palomo a la de mármol y tirito es la bolita preferida de un niño.

EL ALTO

Juego de pelota grupal. Cada niño elige el nombre de un país, de una fruta o de un animal. El niño que dirige comienza el juego lanzando una pelota hacia arriba, al tiempo que grita fuerte alguno de los nombres escogidos. Por ejemplo: "¡Chile!". Los demás niños deben correr rápido lo más lejos posible, menos el niño que fue nombrado, que tiene que ir a recoger la pelota. Si éste logra tomar la pelota antes de que toque el suelo, puede lanzar nuevamente gritando algún otro nombre. De lo contrario, debe gritar "¡alto!" una vez que tenga la pelota entre sus manos, y entonces todos deben dejar de correr y quedarse en su lugar. A continuación, el niño que tiene la pelota da tres pasos (muy grandes) para acercarse a quien esté a menor distancia y lanzarle la pelota tratando de "quemarlo" (tocarlo con la pelota). Si lo logra, el niño "quemado" pierde y deberá abandonar el juego. Si la pelota pasa de largo, el niño que se equivocó será el perdedor.

¿SABÍAS QUE...?

"El alto" ha sido desde hace muchos años un juego muy practicado tanto entre los hombres como entre las mujeres. Por eso muchos confiesan haber pasado tardes enteras jugando, incluso hasta que la pelota ya no se veía en la oscuridad.

EL ELÁSTICO

El elástico debe ser jugado por lo menos por tres niños. Dos de ellos deben sostenerlo a distintas alturas (tobillos, rodillas, muslos, cintura, cuello o sobre la cabeza) mientras el tercero debe seguir una secuencia de saltos mostrando la mayor agilidad posible.

Los juegos son múltiples: se puede jugar con números, con los días de la semana, con los meses del año, con frutas, bebidas, etc. En cada uno de esos juegos se realizan diferentes saltos y se puede aumentar la dificultad subiendo el elástico de altura.

¿SABÍAS QUE...?

Se dice que "el elástico" nació como juego en el altiplano de Bolivia, donde sus habitantes lo jugaban ¡con una tripa gruesa de llama!

¡VIERNES!

EL LUCHE

Se dibuja en el suelo un conjunto de cuadrados que pueden estar ordenados de diferentes maneras (en forma de avión, rectángulo, de caracol, de cuadrado, etc.). A cada cuadro se le coloca un número. El niño lanza una piedra plana en el primer cuadrado y luego da un salto en un pie hasta el número siguiente, recorre todo el luche y regresa para recoger la piedra y volver al comienzo, siempre saltando en un pie. A continuación realiza la misma acción, pero esta vez la piedra debe ser lanzada al número que sigue y así sucesivamente, hasta completar todo el luche. Solo está permitido descansar en el "cielo", que es una casilla que se dibuja con ese objetivo.

¿SABÍAS QUE...?

"El luche" es tan conocido en todo el mundo que muchos países, como Argentina, Irlanda, Francia y Suiza, han querido representarlo ¡en sus propias estampillas!

EL PACO-LADRÓN

Los niños se dividen en un grupo de pacos y un grupo de ladrones, cuidando que el grupo de ladrones tenga más niños que el de pacos. Luego se nombra un capitán para cada grupo. Apenas el capitán de los ladrones grita "¡adelante, mi gente!", éstos deben comenzar a correr. Los pacos, por su parte, tienen que intentar pillar a los ladrones.

Si un paco logra apresar a un ladrón, éste debe quedarse inmóvil y tiene que esperar que algún amigo ladrón lo libere de las manos del paco. Lógicamente el paco debe colocarse bien cerca del ladrón pillado para evitar que éste se arranque. El ladrón será salvado cuando otro ladrón le dé un golpe en la mano. El juego se acaba cuando todos los ladrones quedan inmóviles.

¿SABÍAS QUE...?

En España este juego se conoce como "moros y cristianos". Por medio de él, los españoles recuerdan las antiguas luchas religiosas que tuvieron lugar en su país.

EL QUEMADO

Juego de pelota grupal. Todos los niños se ubican en una cancha y son rodeados por dos niños, uno en cada extremo, que son expertos lanzadores. Cada niño que se encuentra en el centro deberá hacer el quite a la pelota para no ser tocado por ella, mientras los lanzadores intentarán con todas sus ansias "quemar" a la mayor cantidad posible de niños. Cada vez que un niño es "quemado", éste debe salir de la cancha y colocarse en el lado del niño que lo "quemó". El último niño que quede en el centro será el ganador.

¡QUEMADO!

¿SABÍAS QUE...?

Parecido a "el quemado" es un juego llamado "naciones". En él los niños forman dos grupos, cada uno de los cuales se ubica en un lado de la cancha. Además, en el extremo donde termina la cancha del grupo A se ubicará un niño del grupo B, y viceversa. Cuando comienza el juego, los niños de cada grupo deben intentar dos cosas: primero, tener lo más posible la pelota para quemar a los niños del grupo contrario; y segundo, esquivar con todas las ganas la pelota para evitar ser tocados por ella. Si un niño es quemado, debe colocarse en el extremo que corresponde a los de su grupo, para intentar quemar a alguien desde ahí y así volver a la cancha. Pierde el grupo que queda sin niños en la cancha.

HA LLEGADO UN BARCO CARGADO DE...

Los niños se sientan ordenados en círculo y el que dirige debe elegir una letra o sílaba para dar inicio al juego. Luego dice "ha llegado un barco cargado de..." y entonces señala un objeto con la letra o sílaba escogida. Por ejemplo, si se ha decidido comenzar con la letra B, el que dirige puede iniciar el juego diciendo "ha llegado un barco cargado de burros". Luego el niño que se encuentra a su lado debe decir rápidamente otro objeto ("ha llegado un barco cargado de bolsas") y así sucesivamente, hasta que un niño se equivoque o se demore mucho en encontrar un objeto con la letra elegida.

¿SABÍAS QUE...?

Se puede aumentar la dificultad de este juego haciendo que cada niño repita la secuencia completa de objetos que se han ido nombrando. De esta manera, si el primer niño dijo "ha llegado un barco cargado de burros" y el segundo dijo "ha llegado un barco cargado de burros y bolsas", el tercer niños deberá decir "ha llegado un barco cargado de burros, bolsas y... buitres". Como cada niño debe ir recordando todo lo que dicen sus compañeros, este juego es muy útil para desarrollar una buena memoria.

LA ESCONDIDA

Un niño se ubica contra un árbol o una pared, tapándose la cara con un brazo y con los ojos bien cerrados. Entonces comienza a contar: uno, dos, tres... hasta el veinte. Cuando termina, empieza a buscar a los demás niños, quienes calladitos se escondieron por ahí. Si descubre a alguno, debe correr hasta el árbol o la pared donde estaba contando y decir fuerte "un, dos, tres por (Pedro)". Si lo logra, el niño descubierto será el elegido para contar durante el próximo juego. Pero si el niño recién descubierto gana la carrera, puede salvarse si dice "un, dos, tres por mí". En este caso el niño que dirige debe seguir buscando a sus demás compañeros.

¿SABÍAS QUE...?

Existe un juego que se juega al revés que "la escondida" y se llama "la sardina". En "la sardina" solamente se esconde un niño y todos los demás salen a buscarlo. El primer niño en descubrir el escondite no debe delatarlo, sino también esconderse, y lo mismo deberán hacer todos los que logren encontrarlo hasta quedar bien apretados ¡como en una lata de sardinas! El último niño en descubrir el escondite es el que pierde y deberá iniciar el siguiente juego escondiéndose solo.

LA PINTA

Los niños eligen a un perseguidor y luego se reparten por todo el patio. A la cuenta de tres todos comienzan a correr, arrancando del perseguidor. Cuando este último logra pillar a alguno de sus compañeros le dice "¡pinta!", y entonces será el pillado el que deberá perseguir al resto.

Una regla importante es que no está permitido perseguir de inmediato al niño que acaba de pillar o pintar a alguien. Por otra parte, a veces se usa una "capilla" para descansar un rato del perseguidor. A esa capilla el perseguidor no puede entrar.

Variación:
LA PIEZA OSCURA
Un perseguidor intenta pillar a sus compañeros en una pieza que tiene todas las luces apagadas, mientras los que arrancan intentan esconderse para no ser atrapados.

¿SABÍAS QUE...?
Aunque parezca increíble, este juego tiene su origen en las antiguas persecuciones de delincuentes. Cuando éstos eran perseguidos por la policía, siempre buscaban refugiarse en una iglesia, pues ahí no podían ser molestados. La iglesia era entonces una capilla como la que se usa hoy en este juego.

MONITO MAYOR

Los niños se colocan en una fila y avanzan mientras van imitando todos los gestos que hace el primero de la fila, que es conocido como el monito mayor. El monito mayor debe ir inventando diferentes movimientos, usando toda su creatividad.

¿SABÍAS QUE...?

El "monito mayor" es uno de los más famosos entre los juegos tradicionales. Junto con "la escondida" y "momia es" este juego ha sido practicado por casi todos los niños y niñas desde hace por lo menos unos cien años.

BIBLIOGRAFÍA

AETA, DANIEL: Juegos de los niños chilenos de ambos sexos a base folklórica, sinonímica y pedagógica. Santiago, Chile: Impr. Barcelona, 1913.

CONDEMARÍN, MABEL Y MILICIC, NEVA: Cada día, un juego. 180 juegos y actividades creativas para niños de dos a cinco años. Buenos Aires: Editorial del Nuevo Extremo, 1998.

CONDEMARÍN, MABEL: Rondas. Santiago, Chile: Salo Editores, 1989.

FLORES, MAXIMIANO: "Juegos de bolitas", Revista de Folklore Chileno, Tomo II, 1911-1912. Publicada por la Sociedad de Folklore Chileno de Santiago de Chile. Santiago, Chile: Impr. Cervantes, 1912.

HERRERA VÉLEZ, VERÓNICA: El folclore chileno para la educación preescolar: juegos, adivinanzas, recitaciones, oraciones, trabalenguas y otros. Santiago, Chile, 1995.

KAMINSKI, R. Y SIERRA J.: Children Traditional Games. Arizona, Estados Unidos: Oryx Press, 1995.

LEAL, EUSEBIO: "Patrimonio tangible e intangible dos ópticas, un mismo reto". 8th OWHC World Symposium, Cuzco, Perú, 2005, en http://biblioteca.crespial.org/descargas/Patrimonio_tangible_e_intangible.pdf, consultado el 22 de diciembre de 2009.

LÓPEZ CANTOS, ÁNGEL: Juegos, fiestas y diversiones en la América Española. Madrid: Mapfre, 1992.

PLATH, ORESTE: Los juegos en Chile: aproximación histórica-folclórica ritos, mitos y tradiciones. Santiago, Chile: Fondo de Cultura Económica, 2009.

RINCÓN, VALENTÍN; SERRATOS, CUCA: Jueguero. Tomo I. México, D.F.: Nostra Ediciones, 2009.

SAGREDO, RAFAEL; GAZMURI, CRISTIÁN (DIR.): Historia de la vida privada en Chile. Tomo II. Santiago, Chile: Aguilar Chilena de Eds., 2005.

YÉVENEZ SANHUEZA, ENRIQUE: Chile proyección folclórica: compilación de antecedentes del folclore chileno. Santiago, Chile: CIEFOL, 1995.

web:

REAL ACADEMIA ESPAÑOLA: www.rae.es

UNESCO, link Patrimonio Inmaterial y Tradiciones y expresiones orales: www.unesco.org/culture